KU-390-236

おかずスープ

―具だくさんのスープと、白いご飯で大満足―

藤井 恵
MEGUMI FUJII

私は具だくさんのスープが好きで、よく作ります。
和、洋、中、エスニックなど、楽しみ方は様々。
具の素材を細かく切ったり、
大きくごろごろと切ってみたり、
それだけで、こんなに味わいが違うのかと驚くことや、
ときには、残ったスープをアレンジするのも、
スープの楽しみのひとつです。

肉や野菜を加えた具だくさんのスープなら、
立派なメインおかずになりますし、
それぞれの素材のうまみが鍋の中で合わさって、
自然においしくなってしまうのも嬉しいところ。
あとは、白いご飯を添えて……。
そんな、ご飯に合う "おかずスープ" は、
私のお気に入りです。

気軽に作ってほしい "おかずスープ" ですから、
むずかしい手間はありません。
このスープと白いご飯があれば、
それだけで栄養バランスのよい食事になります。

寒い冬も、暑い夏でも、温かいスープは私にとって、
身体をいやしてくれる元気のもと。
パワーアップしたいときには、ピリ辛のスープや、
お肉がいっぱい入ったボリュームスープを。
心が疲れたときには、
ホッとするやさしい味のスープを。
外食が続いて野菜不足のときは、
食物繊維がたっぷり摂れるスープを、というふうに、
スープから活力をもらっています。

皆さんにも、ぜひおすすめしたい
"おかずスープ"を
ご紹介したいと思います。

CONTENTS

Part1
肉と魚介が主役のスープ

※材料は特に表記がない場合は2人分が目安です。
※レシピ中の大さじは15㎖、小さじは5㎖、1カップは200㎖です。
※電子レンジの加熱時間は500Wの場合の目安です。

肉と魚介が主役のスープ

肉や魚介などのメイン素材＋野菜の組み合わせで、
おいしさもいろいろに、食べごたえあり、バランスよしの"おかずスープ"バリエーション！
毎日だって飽きずに楽しめます。

Pork
+
Vege
table

豚キムチスープ

●材料

豚ロースソテー用肉	2枚
長ねぎ	½本
にら	½束
白菜キムチ	200g
煮干し	20g
だし昆布	5×5cm
ごま油	大さじ1
しょうゆ	小さじ1

●作り方

1
煮干しは頭を除いて縦半分に裂き、腹わたも除いて、水3カップと鍋に入れる。そのまま10分おいてから昆布を加えて煮立て、弱火にしてアクを除き、5分煮てこす。

2
ねぎは斜め薄切りにし、にらは2cm長さに切る。キムチはざく切りにし、豚肉は横に1.5cm幅に切る。

3
鍋に、ごま油を熱して豚肉とキムチを炒め、肉の色が変わったら、1のだし汁を加える。煮立ったら弱めの中火にしてアクを除き、7〜8分煮て、ねぎとにらを加え、ひと煮して、仕上げにしょうゆを加える。

煮干しは、苦みが出ないように、頭をちぎり、縦半分に裂いて黒っぽい腹わたを取り除く

煮干しと昆布を水から煮て、だしをとる。うまみの濃いしっかりとした味わいが韓国風のピリ辛スープに合う

memo

豚肉に豊富なビタミンB₁は、糖質をエネルギーに変える働きがあり、別名、疲労回復ビタミン。ねぎとにらに含まれる香り成分の硫化アリルはビタミンB₁の吸収を高めます。また、キムチに含まれる唐辛子のカプサイシンは脂肪の代謝アップを促進します

Pork
+
Vege
table

独特の香りがあるタイの魚
醤、ナンプラーで調味して
エスニックテイストに

スペアリブとクレソンのスープ

●材料

豚スペアリブ	600ｇ
クレソン	½束
ミニトマト	10個

A＜だし昆布…5×5cm／酒…大さじ1／
水…4カップ＞
B＜ナンプラー…大さじ1／塩、こしょ
う…各少々＞
粗びき黒こしょう……………………少々

●作り方

1
スペアリブは、熱湯でさっとゆでてか
らAと鍋に入れて煮立てる。昆布を取り
除いて弱火にし、アクを除いて40〜50
分煮る。

2
クレソンは茎と葉の部分に切り分け、
茎は1〜2cm長さに切る。ミニトマトは
へたを除く。

3
1にBを加えて調味し、ミニトマト、ク
レソンの茎を加えて、ひと煮立ちさせる。
器に盛ってクレソンの葉をのせ、粗び
き黒こしょうをふる。

スペアリブは熱湯でゆでてくさ
みを除く。表面が白くなる程度
にさっとゆでればよい

スペアリブを煮るときに、昆布
を加えてだしをとりながら煮る

─ memo ─

スペアリブには、美肌効果で知られるコラーゲンがたっぷり。ビタミ
ンCが豊富なミニトマトと一緒にとれば、効果が上がります。クレソ
ンに含まれる辛みのもとはシニグリンという成分で、消化を助けてく
れることから、肉と合わせて摂るのがおすすめ

豚肉と根菜のみそスープ

●材料

豚切り落とし肉	150g
ごぼう	½本
大根	5cm
にんじん	½本
しょうが	1かけ
だし汁	3カップ
サラダ油	大さじ½
みそ	大さじ2
七味唐辛子	少々

●作り方

1
ごぼうは小さめのひと口大に切り、使うまで水にさらす。大根はひと口大に切り、にんじんは小さめのひと口大に切る。しょうがはみじん切りにする。

2
鍋に油を熱して、しょうがを香りが出るまで炒め、残りの**1**を加えて炒める。油がまわったら豚肉を加え、肉の色が変わるまで炒め合わせて、だし汁を加える。

3
煮立ったら弱めの中火にしてアクを除き、ふたをする。野菜に火が通るまで10〜15分煮て、みそを溶き入れ、煮立てないように火を止め、器に盛って七味唐辛子をふる。

Pork + Vegetable

─ memo ─
根菜には、整腸作用を促すのに役立つ食物繊維が期待できます。大豆が原料のみそは、たんぱく質の素になる必須アミノ酸や、ミネラル、ビタミンのほか、血液サラサラ効果のあるサポニンといった成分も含むヘルシー食品

ミートボールとブロッコリーのミルクカレースープ

●材料

A＜豚ひき肉…150ｇ／玉ねぎのみじん
　切り…¼個分／おろししょうが…
　小さじ1／酒…大さじ1／塩、こし
　ょう…各少々／水…大さじ1＞

ブロッコリー	½個
玉ねぎ	½個
冷凍コーン	½カップ
牛乳	2カップ
バター	10ｇ
カレー粉	小さじ2
固形スープの素	1個
塩	小さじ⅓

●作り方

1
ブロッコリーは小房に分け、玉ねぎは1
cm幅にくし形に切る。Aの材料はよく
練り混ぜ、ひと口大ずつに丸めてミー
トボールを作る。

2
鍋にバターを溶かし、ミートボールを
転がしながら色よく焼きつけ、玉ねぎ
とコーンを加える。さっと炒め合わせ
たらカレー粉をふり入れて香りが出る
まで炒め、水1カップを加えて、スープ
の素をくずし入れる。

3
煮立ったら弱火にしてアクを除き、10
分煮て牛乳を加える。再び煮立ったら
ブロッコリーを加え、4〜5分煮て塩で
調味する。

memo

ブロッコリーに豊富なビタミンCは、抗ス
トレスや免疫力を高める作用も。たんぱく
質源のひき肉と一緒に摂ると、吸収率がア
ップします。牛乳は、カルシウムの優秀な
供給源。乳製品のカルシウムは吸収されや
すいというメリットがあります

豚ひき肉と高菜のスープ

●材料

豚ひき肉	150ｇ
長ねぎ	½本
高菜漬け	100ｇ
冷凍枝豆	200ｇ
赤唐辛子	1本
ごま油	大さじ1

A＜酒…大さじ2／砂糖…小さじ1／しょうゆ…小さじ1＞

●作り方

1
赤唐辛子とねぎは小口切りにする。高菜はさっと洗って水けを絞り、茎の部分は粗く刻み、葉の部分は1㎝幅に切る。枝豆は水をかけて解凍する。

2
鍋に、ごま油を熱し、赤唐辛子とねぎを炒める。香りが出たら、高菜とひき肉を加え、ひき肉を粗くほぐしながら色が変わるまで炒め合わせて、水3カップを加える。

3
煮立ったら弱火にしてアクを除き、10分煮て枝豆を加え、2～3分煮てAで調味する。

─ memo ─

高菜と枝豆はビタミンやミネラルをバランスよく含む緑黄色野菜。豚肉と、枝豆にも含まれるビタミンB_1は糖質の代謝を助けて、糖によるエネルギーを必要とする脳や神経系の働きを調整する役割や、肝臓でアルコールの分解を助ける作用も

豚肉ときのこのごまスープ

●材料

豚ロースソテー用肉	2枚
えのきだけ	1袋
しめじ	1パック
玉ねぎ	½個
万能ねぎ	適量
だし汁	3カップ
塩	少々
サラダ油	大さじ½
白練りごま	大さじ2
みそ	大さじ2

●作り方

1
えのきだけは長さを半分に切り、しめじは小房に分ける。玉ねぎは4つにくし形に切って、横半分に切る。豚肉は大きめのひと口大に切り、塩をふる。

2
鍋に油を熱し、豚肉の両面を色よく焼きつけ、出てきた脂をペーパータオルでふき取って、だし汁を加える。木べらで鍋底をこそげるようにして混ぜてから、きのこと玉ねぎを加え、煮立ったら弱火にし、アクを除いて、練りごまを溶き入れる。

3
10～15分煮たら、みそを溶き入れ、煮立てないように火を止める。器に盛り、7～8mm幅に切った万能ねぎを散らす。

memo

きのこに含まれるグルカンには、がんを抑える作用があり、ごまに含まれるゴマリグナンやビタミンEも、細胞の老化やがんの予防に効果的。また、きのこのビタミンDはごまのカルシウムの吸収を、豚肉のたんぱく質はごまの鉄分の吸収を高めます

豚肉と豆腐のサンラースープ

●材料

豚もも薄切り肉	150g
卵	1個
絹ごし豆腐	⅓丁
ゆでたけのこ	80g
生しいたけ	2枚
香菜	適量
鶏ガラスープの素	小さじ1

A＜しょうが汁…小さじ1／酒…小さじ
1／片栗粉…小さじ1＞

B＜酢…大さじ1／酒…大さじ½／しょ
うゆ…小さじ1／塩…小さじ½＞

水溶き片栗粉（片栗粉小さじ2＋水大さじ
1⅓）

ラー油　　　　　　　　　　　　　　適量

●作り方

1 豆腐は5mm角、3～4cm長さに切り、たけのこは5～6cm長さの細切りにする。しいたけは軸を除いて薄切りにする。豚肉は横に細切りにし、Aをもみ込む。

2 鍋に水3カップとスープの素を入れて煮立て、豚肉をほぐし入れる。再び煮立ったら弱めの中火にしてアクを除き、たけのことしいたけを加えて5分煮る。

3 Bで調味し、水溶き片栗粉を加えてとろみをつけたら、豆腐を加え、続けて卵を溶きほぐしてまわし入れる。ひと煮して器に盛り、ざく切りにした香菜をのせて、ラー油をかける。

サンラースープの調味には、酢を加えて酸味をプラス。食べるときにラー油をかけて、辛みもきかせるのが特徴

memo

豚肉の動物性たんぱく質と、畑の肉といわれる豆腐の植物性たんぱく質を合わせて摂ることで、たんぱく質の質が向上します。調味に使う酢の酸味成分には、乳酸を分解して疲労を回復する効果や、胃液の分泌を促して消化力を高める働きも

豚肉と白いんげん豆のスープ

Pork + Vegetable

●材料

豚肩ロースソテー用肉	2枚
玉ねぎ	½個
白いんげん豆の水煮	200g
ローリエ	1枚
A＜塩…小さじ1／こしょう…少々＞	
オリーブ油	大さじ1
白ワイン	½カップ
固形スープの素	1個
ウスターソース	大さじ1
塩、こしょう	各少々

●作り方

1
玉ねぎは薄切りにする。豚肉は3〜4つずつに切り、Aをふる。

2
鍋にオリーブ油を熱し、豚肉の両面を色よく焼きつけていったん取り出す。鍋に続けて玉ねぎを入れ、しんなりするまで炒めて、いんげん豆を加える。さっと炒め合わせたら、豚肉を戻し入れてワインを加え、ひと煮立ちさせる。

3
水3カップを注ぎ、スープの素をくずし入れ、ローリエ、ウスターソースを加える。煮立ったら弱火にしてアクを除き、30分煮て、塩、こしょうで味をととのえる。

memo
白いんげん豆はビタミンB₁やカルシウム、鉄、食物繊維などを含む栄養価の高い食材。玉ねぎに含まれる硫化アリルは、豚肉、いんげん豆のビタミンB₁の吸収を助けて代謝をアップ。豚肉のたんぱく質は、いんげん豆の鉄の吸収を高めて貧血予防に役立ちます

カポナータ風スープ

●材料

鶏もも肉	1枚
なす	2個
トマト	2個
玉ねぎ	½個
オクラ	10本
にんにく	1かけ
塩、こしょう	各少々
オリーブ油	大さじ2
固形スープの素	1個
A＜塩…小さじ½／こしょう…少々＞	

●作り方

1 なす、トマト、玉ねぎは1cm角くらいに切り、オクラは1cm幅に切る。にんにくはたたきつぶす。鶏肉はひと口大に切り、塩、こしょうをふる。

2 鍋にオリーブ油大さじ1を熱し、鶏肉の表面を色よく焼きつけていったん取り出す。続けて鍋にオリーブ油大さじ1を足し、にんにくを香りが出るまで炒めたら、なすを加え、色づきはじめるまで炒めて、玉ねぎを加え、しんなりするまで炒める。

3 トマトを加えて鶏肉を戻し入れ、水3カップを注ぎ、スープの素をくずし入れて煮立ったら、弱めの中火にする。アクを除いてふたをし、15〜20分煮たらオクラを加え、5分煮てAで調味する。

なすと玉ねぎは水分が出てくるまでよく炒め、甘みを充分に引き出す

memo

鶏肉は、ほかの肉に比べてビタミンAやビタミンB₂が豊富。トマトのリコピン、なすのアントシアニン系色素には抗酸化作用があります。オクラのぬめり成分であるペクチンやガラクタンといった食物繊維には、コレステロール値を下げ、血糖値を抑える効果も

手羽先とチンゲンサイの
ザーサイスープ

●材料

鶏手羽先	4本
チンゲンサイ	2株
ザーサイ (瓶詰め)	60g
A＜だし汁…3カップ／酒…大さじ1／ しょうゆ…大さじ½／塩…小さじ ⅓＞	
粗びき黒こしょう	少々

●作り方

1 手羽先は厚い部分に骨に沿って切り目を入れ、熱湯でさっとゆでる。チンゲンサイは縦4つ割りにして長さを半分に切る。

2 鍋にAを入れて煮立て、**1**を加える。再び煮立ったら弱めの中火にしてアクを除き、7～8分煮て、ザーサイを加える。

3 2～3分煮て器に盛り、こしょうをふる。

手羽先は火が通りやすいように、裏側から骨に沿って切り目を入れる。切り目を入れることで、だしも出やすくなる

memo

手羽先はコラーゲンを多く含む食材。コラーゲンはたんぱく質の一種で、肌のハリを保つなどの働きがあります。水に溶け出る水溶性なので、煮汁ごと食べるスープは、おすすめ。チンゲンサイに含まれるビタミンCはコラーゲンの働きを高めてくれます

鶏肉と白菜の豆乳スープ

●材料

鶏むね肉	1枚
白菜	1/6株
絹さや	20g
豆乳	1½カップ
A＜酒…大さじ1／片栗粉…大さじ1／サラダ油…大さじ½＞	
サラダ油	大さじ½
B＜鶏ガラスープの素…小さじ1／酒…大さじ1／塩…小さじ½／水…1カップ＞	
片栗粉	小さじ2
ごま油	少々

●作り方

1 白菜は軸と葉の部分に切り分け、軸は食べやすい大きさにそぎ切りにし、葉はざく切りにする。鶏肉はひと口大にそぎ切りにし、Aをもみ込む。

2 鍋にサラダ油を熱して鶏肉を炒め、色が変わったら白菜、絹さやを加えて油がまわるまで炒め合わせる。

3 Bを加え、煮立ったら弱めの中火にしてアクを除き、4〜5分煮て、豆乳と片栗粉を混ぜ合わせてから加える。全体を混ぜて再び煮立て、とろみがついたら、仕上げに、ごま油を加える。

Chicken + Vegetable

---
memo

豆乳には、代謝を促すビタミンB₁、骨の形成に欠かせないカルシウム、老化防止に作用するビタミンE、貧血改善に役立つ鉄など、体がよろこぶ大豆の栄養がいっぱい。更年期障害の症状を軽減するイソフラボンや、動脈硬化を予防するサポニンなども含まれます

鶏肉ときのこのドミグラスープ

●材料

鶏もも肉	1枚
まいたけ	1パック
セロリ	1本
玉ねぎ	½個
にんにく	1かけ
ドミグラスソース缶	1缶（290ｇ）
塩、こしょう	各適量
バター	20ｇ
固形スープの素	1個

●作り方

1
まいたけは小房に分け、セロリは4×2㎝くらいに切る。玉ねぎは薄切りにし、にんにくはみじん切りにする。鶏肉は大きめのひと口大に切り、塩、こしょう各少々をふる。

2
鍋にバター10ｇを溶かして鶏肉を炒め、色が変わったらいったん取り出す。続けて鍋にバター10ｇを足し、にんにくと玉ねぎを炒め、しんなりしたらセロリとまいたけを加えて油がまわるまで炒め合わせる。

3
鶏肉を戻し入れて水3カップを注ぎ、スープの素をくずし入れて、ドミグラスソースを加える。煮立ったら弱めの中火にしてアクを除き、20～30分煮て塩、こしょう各少々で味をととのえる。

memo

きのこに含まれるグルカンは、免疫機能を回復させ、がんを予防する効果が注目されていますが、特にまいたけは、その効力が高いともいわれています。また、まいたけはビタミンB₂が多く、代謝をスムーズにして体脂肪の蓄積を防ぐのにも役立ってくれます

鶏肉と里いものとろみスープ

●材料

鶏むね肉 ……………………………1枚
さやいんげん ………………………50g
にんじん ………………………………½本
れんこん ……………………½節(80g)
里いも ………………………………4個
だし汁 ……………………………3カップ
A＜酒…大さじ1／しょうゆ…大さじ1
／塩…小さじ½＞
B＜片栗粉…小さじ2／だし汁…大さじ
1⅓＞

●作り方

1
いんげんは2〜3cm長さに切り、にんじん、れんこんは7〜8mm厚さのいちょう切りにする。里いもは大きければ横半分に切る。鶏肉は小さめのひと口大に切る。

2
鍋に、いんげん以外の1と、だし汁を入れて煮立て、中火にしてアクを除き、15分煮る。

3
いんげんとAを加えてひと煮立ちさせたら、Bを混ぜ合わせてから加え、とろみをつける。

里いもは下ゆでせずに加えて、持ち味のぬめりを生かし、とろりと仕上げる

memo

里いものぬめりのもとは、ガラクタンやマンナンといった成分。コレステロール値を下げる働きや、整腸作用があります。里いもにはカリウムも豊富で、ナトリウムを体外に出す作用があり、むくみの解消や、高血圧の改善にも

鶏肉とアスパラのピリ辛ごまスープ

●材料

鶏もも肉	1枚
グリーンアスパラガス	5本
長ねぎ	1⁄2本
にんにく	1かけ
しょうが	1かけ
A＜酒…大さじ1⁄2／しょうゆ…大さじ1⁄2＞	
サラダ油	大さじ1⁄2
鶏ガラスープの素	小さじ1
B＜白練りごま…大さじ3／しょうゆ…大さじ11⁄2／酢…小さじ2／豆板醤…小さじ1／ラー油…小さじ1＞	

●作り方

1
アスパラガスは根元のほうのかたい部分を薄くむき、斜めに5mm幅に切る。ねぎ、にんにく、しょうがはみじん切りにする。鶏肉はひと口大にそぎ切りにし、Aをからめる。

2
鍋に油を熱し、鶏肉を色よく焼きつけて、水4カップとスープの素を加える。煮立ったら弱めの中火にしてアクを除き、7～8分煮る。

3
アスパラガスを加えてひと煮立ちさせたら、ねぎ、にんにく、しょうがとBを加え、もうひと煮立ちさせる。

Chicken + Vegetable

memo
アスパラガスのうまみ成分であるアスパラギン酸はアミノ酸の一種で、新陳代謝を促し、疲労回復や美肌に効果的。ごまに含まれるリノール酸やオレイン酸、リノレン酸といった不飽和脂肪酸は、血中のコレステロール値を下げ、動脈硬化や高血圧などを予防します

鶏肉とカリフラワーのミルクスープ

●材料

鶏むね肉	1枚
カリフラワー	½個
玉ねぎ	½個
冷凍グリーンピース	½カップ
ローリエ	1枚
牛乳	1カップ
塩、こしょう	各少々
バター	10g
小麦粉	大さじ1
固形スープの素	1個
A＜塩…小さじ⅓／こしょう…少々＞	

●作り方

1 カリフラワーは小房に分けて、玉ねぎは1.5cm角に切る。鶏肉はひと口大に切り、塩、こしょうをふる。

2 鍋にバターを溶かして鶏肉を色が変わるまで炒め、玉ねぎを加えて炒め合わせる。玉ねぎがしんなりしたら小麦粉をふり入れ、弱火で粉っぽさがなくなるまでよく炒める。

3 中火にし、水1½カップを少しずつ加えながら混ぜ合わせ、スープの素をくずし入れて、カリフラワー、グリーンピース、ローリエを加える。煮立ったら弱めの中火にしてアクを除き、10分煮て牛乳を加え、ひと煮立ちさせてAで調味する。

─memo─

カリフラワーには抗酸化物質のイソチオシアネートと、これも抗酸化作用のあるビタミンCが含まれ、免疫力を高めます。牛乳は良質のたんぱく質をはじめ、ビタミン、ミネラルなどをバランスよく含み、豊富なカルシウムは、神経に作用してイライラを静める効果も

つくねとねぎのスープ

●材料

A＜鶏ひき肉…150ｇ／長ねぎのみじん
　切り…10㎝分／しょうが汁…小さ
　じ2／しょうゆ…大さじ½／片栗粉
　…小さじ2／水…大さじ1＞
長ねぎ……………………………½本
絹さや……………………………20ｇ
B＜酒…大さじ1／しょうゆ…小さじ2
　／塩…小さじ½＞

●作り方

1
ねぎは斜め薄切りにする。Aの材料は
よく練り混ぜ、直径2㎝くらいに丸めて
肉だんごを作る。

2
鍋に水3カップを沸かし、肉だんごを入
れて再び沸いたら4〜5分ゆで、弱めの
中火にしてアクを除く。

3
ねぎと絹さやを加えて2〜3分煮たら、
Bで調味する。

Chicken
＋
Vege
table

- memo
ねぎの香り成分である硫化アリルには、胃
液の分泌を促して消化を助ける働きや、抗
菌、殺菌作用、血行をよくして体を温める
働きもあり、風邪の予防などに有効です。
鶏肉に多く含まれるビタミンAにも、抵抗
力を高める働きがあるので、おすすめの組
み合わせ

Beef + Vegetable

チリコンカンスープ

●材料

牛ひき肉	150g
玉ねぎ	1個
ホールトマト缶	½缶 (200g)
金時豆の水煮	200g
にんにく	1かけ
赤唐辛子	2本
サラダ油	大さじ½
固形スープの素	1個
トマトケチャップ	大さじ2
塩	小さじ⅓
こしょう	少々

●作り方

1
玉ねぎ、にんにくはみじん切りにし、トマトはつぶす。赤唐辛子は半分にちぎって種を除く。

2
鍋に油を熱し、玉ねぎ、にんにく、赤唐辛子を炒め、香りが出たら、ひき肉を加えてほぐしながらぽろぽろになるまで炒める。

3
トマトと缶汁、金時豆を加えて、水2カップを注ぎ、スープの素をくずし入れ、ケチャップを加える。煮立ったら弱めの中火にしてアクを除き、20〜30分煮て、塩、こしょうで味をととのえる。

---
memo

金時豆にはビタミンB1、B2やミネラルが豊富。紫がかった赤い色は、アントシアニン系の色素で、抗酸化作用があり、動脈硬化やがん予防のほか、眼精疲労にも効果があるといわれています。牛肉にはビタミンB2や、肉の中では鉄が多く含まれるのが特徴です

牛肉と豆もやしの韓国風スープ

●材料

牛バラ薄切り肉 ……………… 150g
にんじん ……………………… ½本
豆もやし ……………………… 1袋
長ねぎの青い部分 …………… 5cm
A＜おろしにんにく…1かけ分／粉唐辛
　子…小さじ1／コチュジャン…大さ
　じ2／しょうゆ…大さじ1½／砂糖
　…小さじ1＞
ごま油 ………………………… 大さじ½
塩、こしょう ………………… 各少々

memo

唐辛子やにんにくを使う韓国メニューは、
唐辛子に含まれる辛み成分のカプサイシン、
にんにくに含まれる香り成分のアリシンに
よる働きで、スタミナアップに効果的。カ
プサイシンには血行促進、脂肪燃焼作用が
あり、アリシンは代謝を高めて疲労回復を
助けます

●作り方

1 にんじんは4～5cm長さのせん切りにする。牛肉は横に細切りにし、Aをもみ込む。

2 鍋に、ごま油を熱して牛肉をほぐしながら炒め、にんじん、もやしを加えてしんなりするまで炒め合わせる。

3 水3カップを加え、煮立ったら弱めの中火にしてアクを除き、15～20分煮る。塩、こしょうで味をととのえ、器に盛って、せん切りにしたねぎをのせる。

韓国料理によく利用される粉唐辛子は、韓国産の赤唐辛子を粉状にひいたもので、辛さの中にもまろやかさがある

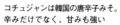

コチュジャンは韓国の唐辛子みそ。辛みだけでなく、甘みも強い

細切りにした肉に、にんにくや粉唐辛子、コチュジャンなども合わせてもみ込み、味をなじませる

おでん風スープ

Beef + Vege table

●材料

牛シチュー用肉	200g
大根	⅓本
ブロッコリー	½個
生しいたけ	4枚
にんにく	1かけ
結び昆布	4個
A＜塩…小さじ½／こしょう…少々＞	
サラダ油	大さじ½
白ワイン	½カップ
B＜塩…小さじ1／しょうゆ…小さじ1 ／こしょう…少々＞	

memo

しいたけに含まれるエリタデニンという物質は、これもしいたけに豊富に含まれる食物繊維と同様、コレステロール値を下げる働きがあり、高血圧や動脈硬化の予防にダブルで効果を発揮します。昆布には新陳代謝を活発にするヨウ素も含め、ミネラルが豊富です

●作り方

1 大根は2cm厚さの輪切りにして鍋に入れる。かぶるくらいの水を加えて火にかけ、沸とうしたら5〜6分ゆでる。牛肉はAをふり、フライパンに油を熱して牛肉の表面を色よく焼きつけ、取り出して熱湯をまわしかける。ブロッコリーは小房に分け、しいたけは石づきを除く。にんにくはたたきつぶす。

2 鍋に牛肉、にんにく、昆布、ワインと、水5カップを入れて煮立てたら、昆布をいったん取り出して弱めの中火にし、アクを除いて肉がやわらかくなるまで30〜40分煮る。

3 大根を加えて再び煮立ったら、15〜20分煮てBで調味し、ブロッコリー、しいたけを加え、昆布を戻し入れて5〜6分煮る。器に盛り、好みで粒マスタードを添えても。

肉は、うまみが逃げないように表面を焼きつけておき、熱湯をまわしかけて油っぽさを除く

牛ひき肉とごぼうの
しょうがみそスープ

Beef + Vegetable

●材料

牛ひき肉	150g
ごぼう	½本
こんにゃく	⅓枚
万能ねぎ	適量
おろししょうが	1かけ分
だし汁	3カップ
A＜酒…大さじ1／塩…小さじ⅓＞	
ごま油	大さじ½
みそ	大さじ2

●作り方

1
ごぼうは縦半分にして斜め薄切りにし、使うまで水にさらす。こんにゃくは1.5cm角に切り、熱湯でさっとゆでる。ひき肉はAをもみ込む。

2
鍋に、ごま油を熱して、ごぼうをしんなりするまで炒めたら、ひき肉と、しょうがの½量を加え、ひき肉を粗くほぐしながら色が変わるまで炒める。

3
こんにゃく、だし汁を加え、煮立ったら弱めの中火にしてアクを除き、10〜15分煮て、みそを溶き入れる。煮立てないように火を止め、器に盛って、7〜8mm幅に切った万能ねぎを散らし、残りのしょうがをのせる。

memo

しょうがの香り成分であるジンゲロンや、辛み成分のショウガオールには、消化機能を高めたり、血液の循環をよくして冷え性を改善するなどの効果があります。ごぼう、こんにゃくは、どちらも食物繊維が豊富。腸内の余分なものを吸着して除く働きがあります

牛肉とアスパラのクリームスープ

●材料

牛切り落とし肉 150g
グリーンアスパラガス 5本
玉ねぎ ½個
牛乳 1½カップ
生クリーム ¼カップ
塩、こしょう 各少々
サラダ油 大さじ½
白ワイン 大さじ2
固形スープの素 1個
A＜塩…小さじ⅓／こしょう…少々＞
粗びき黒こしょう 少々

●作り方

1 アスパラガスは根元のほうのかたい部分を薄くむき、2〜3cm長さに切る。玉ねぎは薄切りにする。牛肉は食べやすい大きさに切り、塩、こしょうをふる。

2 鍋に油を熱して牛肉を炒め、色が変わったら玉ねぎを加えて、しんなりするまで炒め合わせ、ワインを加えてひと煮立ちさせる。

3 牛乳を注ぎ、スープの素をくずし入れ、アスパラガスを加えて煮立ったら、弱めの中火にしてアクを除く。4〜5分煮て生クリームを加え、Aで調味し、器に盛って、粗びき黒こしょうをふる。

memo
アスパラガスには疲労回復や美肌に効果を発揮するアスパラギン酸のほか、血圧を下げる働きがあるルチンや、たんぱく質の合成を助け、胃腸の粘膜を丈夫にしたり、貧血の予防にも効果がある葉酸といった成分も含まれます

たらのブイヤベース風スープ

作り方は34ページ

fish + vegetable

さばのサワースープ
作り方は35ページ

たらのブイヤベース風スープ

●材料

たらの切り身	2切れ
ブロッコリー	½個
玉ねぎ	½個
ホールトマト缶	½缶（200ｇ）
にんにく	2かけ
ローリエ	1枚
A＜白ワイン…大さじ2／塩…小さじ½ ／こしょう…少々＞	
オリーブ油	大さじ1
カレー粉	小さじ1
固形スープの素	1個
塩、こしょう	各少々

●作り方

1 たらは2〜3つずつに切り、Aをふりかけて10分おく。ブロッコリーは小房に分け、玉ねぎ、にんにくはみじん切りにする。トマトはつぶす。

2 鍋にオリーブ油を熱して玉ねぎとにんにくを炒め、しんなりしたらトマトと缶汁、カレー粉を加えて炒め合わせる。

3 水2カップを注ぎ、スープの素をくずし入れ、ローリエを加えて煮立ったら、弱めの中火にしてアクを除き、5分煮て、たらを加える。5〜6分煮たらブロッコリーを加え、さらに2〜3分煮て、塩、こしょうで調味する。

カレー粉を加えてブイヤベースをアレンジ。ご飯との相性もよい

memo

たらは、高たんぱく、低脂肪の白身魚。消化、吸収のよい良質のたんぱく質を含み、低カロリーです。たんぱく質にはビタミンCの吸収を高める働きがあるので、ビタミンCが豊富なブロッコリー、トマトとはよい組み合わせ

さばのサワースープ

●材料

さばの切り身	2切れ
玉ねぎ	½個
梅干し	1個
しょうが	1かけ
香菜	2株
万能ねぎ	適量
レモン汁	大さじ2
塩	少々
こしょう	適量
鶏ガラスープの素	小さじ1
A<ナンプラー…大さじ1／酢…大さじ1／砂糖…小さじ1>	

●作り方

1 玉ねぎは1cm厚さのくし形に切り、しょうがはせん切りにする。香菜は根の部分を切り落としてざく切りにし、根はたたきつぶす。梅干しは種を除いて粗くちぎる。さばは大きめのひと口大にそぎ切りにし、塩と、こしょう少々をふる。

2 鍋に水3カップとスープの素、香菜の根、こしょう小さじ⅓を入れて煮立て、さばを加える。3〜4分煮たら弱めの中火にしてアクを除き、玉ねぎ、梅干し、しょうが、Aを加え、3〜4分煮る。

3 仕上げにレモン汁を加えて器に盛り、1cm長さに切った万能ねぎを散らして、香菜をのせる。

さばに塩、こしょうをふって下味をつけるとともに、生ぐさみをとる

梅干し、酢のほかに、レモン汁の酸味も加えて。さばのようにくせの強い魚がさっぱりとおいしく食べられる

memo

さばの脂質には、コレステロールや中性脂肪を減らしたり、血栓をできにくくする働きのあるEPAや、DHAが多く含まれます。さらにDHAには、脳の働きを活発にする効果も。梅干し、レモン汁、酢の酸味成分には、いずれも疲労回復効果があります

Fish + Vegetable

かじきと野菜の
作り方は38ページ

金目鯛としいたけの和風スープ
作り方は38ページ

鮭とじゃがいものみそバタースープ

作り方は39ページ

かじきと野菜のクリームスープ

●材料

かじきの切り身	2切れ
ズッキーニ	1/2本
にんじん	1/3本
セロリ	1/2本
生クリーム	1/2カップ
塩、こしょう	各少々
サラダ油	大さじ1/2
白ワイン	大さじ3
固形スープの素	1個

A＜塩…小さじ1/3／こしょう…少々＞

●作り方

1 ズッキーニとにんじんは3〜4mm角、3〜4cm長さの棒状に切り、セロリも同じくらいの大きさに切る。かじきは半分に切り、塩、こしょうをふる。

2 鍋に油を熱し、かじきの両面を焼きつけて、いったん取り出す。続けて鍋に1の野菜を入れ、さっと炒めて、かじきを戻し入れ、ワインを加えてひと煮立ちさせる。

3 水1 1/2カップを注ぎ、スープの素をくずし入れ、煮立ったら弱めの中火にしてアクを除く。6〜7分煮て生クリームを加え、ひと煮立ちさせて、Aで調味する。

---

memo

かじきは特にたんぱく質の含有量に富み、ほかの魚に比べてビタミンDが多いのが特徴。カリウムなども含みます。にんじんはカロテンの含有量が野菜の中でトップクラス。セロリは特有の香り成分にイライラを静める鎮静作用があります

金目鯛としいたけの和風スープ

●材料

金目鯛の切り身	2切れ
長ねぎ	1本
生しいたけ	3枚
かぼす	適量
だし昆布	5×5cm
塩	小さじ1

A＜酒…大さじ1／塩…小さじ1/2／しょうゆ…小さじ1/3＞

●作り方

1 金目鯛は半分に切って塩をふり、10分おいて、熱湯をまわしかける。ねぎは3cm長さに切り、斜めに4〜5本の浅い切り目を入れる。しいたけは軸を除いて薄切りにする。

2 鍋に金目鯛と昆布を入れ、水2 1/2カップを注いで煮立てたら、弱めの中火にしてアクを除き、4〜5分煮て昆布を取り除く。

3 ねぎとしいたけを加え、2〜3分煮てAで調味し、器に盛って、絞りやすく切ったかぼすを添え、汁を絞りかけて食べる。

金目鯛に熱湯をかけて、くさみを除く。表面をかため、うまみを閉じ込める効果も

---

memo

金目鯛はビタミンB₁や鉄も含む栄養価の高い魚です。また、ハリのあるみずみずしい肌や、ツヤのある髪の毛の生成に有効なコラーゲンも多く含まれ、かぼすのビタミンCと合わせて摂ることで効きめがアップします

鮭とじゃがいもの
みそバタースープ

●材料

甘塩鮭の切り身	2切れ
さやいんげん	50g
にんじん	½本
じゃがいも	2個
玉ねぎ	½個
おろしにんにく	少々
だし汁	3カップ
みそ	大さじ2
バター	10g

●作り方

1 いんげんは3cm長さに切り、にんじんは7〜8mm厚さの輪切りにする。じゃがいもは4つに切って洗う。玉ねぎは4つにくし形に切り、横半分に切る。鮭は2〜3つに切る。

2 鍋に、いんげん以外の1と、だし汁を入れて煮立て、弱火にしてアクを除き、野菜に火が通るまで10〜12分煮る。

3 いんげんを加えて2〜3分煮たら、みそを溶き入れ、にんにく、バターを加えて、煮立てないように火を止める。

仕上げに加えるバターで、こくとまろやかさをプラス

---- memo ----

鮭には、血液サラサラ効果のあるEPA、DHAや、ビタミンA、B₁、B₂、D、Eなども含まれます。不足しているビタミンCは、じゃがいもで補えます。加熱に弱いビタミンCは短時間での調理がおすすめですが、じゃがいものビタミンCは失われにくいのが利点

あさりとサラダ菜のしょうがスープ

作り方は42ページ

いかとなすのピリ辛トマトスープ

作り方は42ページ

かきのチャウダー
作り方は43ページ

Sea food vege table

あさりとサラダ菜のしょうがスープ

●材料

あさり（砂抜きしたもの）	300ｇ
緑豆春雨	40ｇ
サラダ菜	1個
しょうが	½かけ
ごま油	大さじ½

A＜酒…大さじ1／塩…小さじ⅓／こしょう…少々＞

― memo ―

あさりには鉄と、ビタミンB12も豊富。鉄は赤血球中のヘモグロビンの構成成分となり、体の組織に酸素を運ぶ働きがあります。ビタミンB12には赤血球を生成する働きがあり、鉄もビタミンB12も不足すると貧血の原因に。あさりの鉄は吸収されやすいのが特徴です

●作り方

1 春雨はキッチンバサミで食べやすく切る。サラダ菜は大きめにちぎり、しょうがはせん切りにする。

2 鍋に、ごま油を熱して、しょうがを炒め、香りが出たら、あさりを加えて油がまわるまで炒め、水3カップを加える。

3 煮立ったら弱めの中火にしてアクを除き、あさりの口が開くまで煮る。Aで調味して春雨を加え、やわらかくなるまで煮て、サラダ菜を入れた器に盛る。

サラダ菜はスープの鍋に加えず、器に入れて、熱いスープを具ごと注ぎ、シャッキリとした食感を残す

いかとなすのピリ辛トマトスープ

●材料

いか	1杯
なす	1個
玉ねぎ	½個
ホールトマト缶	½缶（200ｇ）
バジル	適量
にんにく	½かけ
赤唐辛子	2本
白ワイン	大さじ2
オリーブ油	大さじ1
固形スープの素	1個

A＜塩…小さじ½／こしょう…少々＞

●作り方

1 なすは、ひと口大の乱切りにし、玉ねぎは4つにくし形に切って、横半分に切る。トマトはつぶし、にんにくはみじん切りにする。赤唐辛子は半分にちぎって種を除く。いかは足を引き抜き、軟骨を除いて、胴を1cm幅の輪切りにする。足は2本ずつに切り分け、胴と合わせてワインをふりかけておく。

2 鍋にオリーブ油大さじ½を熱し、なすを焼きつけるように炒めて、残りのオリーブ油を足し、にんにく、赤唐辛子、玉ねぎを加えて、玉ねぎがしんなりするまで炒め合わせる。

3 トマトと缶汁、水3カップを加え、スープの素をくずし入れて煮立ったら、弱めの中火にしてアクを除き、5〜6分煮て、いかを加える。いかの色が変わったらAで調味し、器に盛って、ちぎったバジルを添える。

― memo ―

いかは、脂質が少なく低カロリーのたんぱく質源。また、血中のコレステロール値を下げたり、肝臓のアルコール分解を促す作用、乳酸の蓄積を抑えて疲労を回復する作用など、様々な効果を発揮するタウリンも豊富に含まれています

かきのチャウダー

●材料

かき	150g
ほうれん草	½わ
じゃがいも	1個
玉ねぎ	½個
ローリエ	1枚
牛乳	1カップ
塩	適量
A＜白ワイン…大さじ2／塩、こしょう…各少々＞	
バター	10g
小麦粉	大さじ1
固形スープの素	½個
粗びき黒こしょう	少々

●作り方

1 かきは塩少々を加えた水で洗い、水をきって耐熱皿入れる。Aを加えて、ふんわりとラップをかけ、電子レンジで3分加熱する。ほうれん草は熱湯で下ゆでして水にとり、水けを絞って2cm幅に切る。じゃがいもは1cm角に切って洗い、玉ねぎも1cm角に切る。

2 鍋にバターを溶かして、玉ねぎ、じゃがいもを炒め、玉ねぎがしんなりしたら小麦粉をふり入れる。弱火で粉っぽさがなくなるまでよく炒めて中火にし、水1½カップを少しずつ加えながら混ぜ合わせたら、スープの素をくずし入れて、ローリエと、1のかきの蒸し汁を加える。

3 煮立ったら弱火にし、じゃがいもに火が通るまで10分煮て、牛乳、かきを加える。再び煮立ったらアクを除き、さらに3～4分煮て、ほうれん草を加え、ひと煮立ちさせて、塩少々と、こしょうで調味する。

かきは、塩水を入れたボウルの中で、ゆするようにしてやさしく洗い、くさみも除く

かきをレンジで加熱したあとの蒸し汁も、スープに加えてうまみを生かす

memo
かきは海のミルクといわれるほど栄養価が高く、特に鉄などをはじめ、ミネラルバランスに優れた食材。ビタミンCが豊富なじゃがいも、ほうれん草と組み合わせることで、鉄の吸収率がアップします。ほうれん草は、それ自体にも鉄が多く、カロテンも豊富

Sea food + Vege table

帆立の中華風コーンスープ
作り方は46ページ

たこのサフランスープ
作り方は46ページ

えびのグリーンカレースープ

作り方は47ページ

帆立の中華風コーンスープ

●材料

帆立貝柱	6個
チンゲンサイ	1株
クリームコーン	1缶（190ｇ）
A＜酒…大さじ2／塩、こしょう…各少々＞	
片栗粉	小さじ2
サラダ油	小さじ2
鶏ガラスープの素	小さじ1
B＜塩…小さじ⅓／こしょう…少々＞	
ごま油	少々

●作り方

1 チンゲンサイは縦に4〜6等分にし、長ければ半分に切る。帆立はAをふりかけ、片栗粉をまぶす。

2 鍋にサラダ油を熱し、チンゲンサイを油がまわるまで炒めて、水2½カップ、スープの素、クリームコーンを加え、煮立ったら帆立を加える。

3 再び煮立ったら弱めの中火にしてアクを除き、2〜3分煮て、Bで調味し、仕上げに、ごま油を加える。

> **memo**
> 帆立は高たんぱくで、たんぱく質はビタミンC、鉄、カルシウムの吸収を高めるため、これらの栄養素を含むチンゲンサイとは好相性。帆立には、コレステロール値を下げる作用のあるタウリンも豊富で、タウリンには眼精疲労や視力の低下を予防する作用もあります

たこのサフランスープ

●材料

ゆでだこ	150ｇ
赤ピーマン	1個
じゃがいも	1個
玉ねぎ	½個
にんにく	1かけ
オリーブ油	大さじ1
サフラン	小さじ⅓
固形スープの素	1個
A＜塩…小さじ⅓／こしょう…少々＞	

●作り方

1 赤ピーマンは7〜8㎜角に切る。じゃがいもはひと口大に切って洗う。玉ねぎ、にんにくはみじん切りにし、たこはひと口大に切る。

2 鍋にオリーブ油を熱して、にんにくを香りが出るまで炒め、玉ねぎ、じゃがいもを加えて炒め合わせる。油がまわったら水3カップとサフランを加え、スープの素をくずし入れる。

3 煮立ったら弱火にしてアクを除き、じゃがいもに火が通るまで10分煮て、たこと赤ピーマンを加え、2〜3分煮てAで調味する。

サフランは、サフランの花の雌しべを乾燥させたもの。独特の香りがあり、ブイヤベースやパエリアによく使われる香辛料で、料理が鮮やかな黄色になる

> **memo**
> たこにも、いかや貝類同様、コレステロールを減らす効果のあるタウリンが多く、高血圧や脳卒中、心臓病などの予防に役立ちます。じゃがいも、赤ピーマンにはビタミンCがたっぷりで、しみやそばかすの素になるメラニンの沈着を防ぐ美肌効果も大

えびのグリーンカレースープ

●材料

えび	6〜8尾
ゆでたけのこ	150g
しめじ	1パック
香菜	適量
サラダ油	大さじ½
グリーンカレーペースト	大さじ2
鶏ガラスープの素	小さじ1
ナンプラー	小さじ2

●作り方

1
たけのこは縦半分にして、縦に1cm幅に切る。しめじは小房に分ける。えびは、キッチンバサミで背に縦に切り込みを入れ、背わたは除く。

2
鍋に油を熱して、グリーンカレーペーストを炒め、香りが出たら、えびを加えて炒める。えびの色が変わったら、たけのこ、しめじを加え、さっと炒め合わせる。

3
水3カップとスープの素を加え、煮立ったら弱火にし、アクを除いて4〜5分煮る。ナンプラーで調味し、火を止めて、ざく切りにした香菜を加える。

グリーンカレーペーストは、青唐辛子のほか、ハーブや香辛料をミックスしてペースト状にした、いわばタイ風カレーの素

殻つきのえびの背に、キッチンバサミで深めに切り込みを入れる。背わたが取りやすく、火も通りやすい

はじめにグリーンカレーペーストを炒め、香りを引き出して

— memo —
いかや帆立をはじめ、えびも高コレステロールといわれますが、タウリンが多く、むしろコレステロール値の低下に有効な食材として知られるようになりました。たけのこやしめじの食物繊維もコレステロールの排出に役立ち、一緒に摂ることで相乗効果を発揮します

ベーコンと白菜のピリ辛スープ
作り方は50ページ

ベーコンと水菜のスープ
作り方は50ページ

ベーコンとブロッコリーのスープカレー

作り方は51ページ

ベーコンと白菜のピリ辛スープ

●材料

ベーコン	3枚
白菜	1/6株
にんじん	1/2本
煮干し	20g
A＜コチュジャン…大さじ2／しょうゆ …小さじ1½＞	
あれば粗びき唐辛子	少々

●作り方

1 白菜はざく切りにし、にんじんは1cm厚さの輪切りにする。ベーコンは横に1cm幅に切る。

2 煮干しは頭を除いて縦半分に裂き、腹わたも除いて鍋に入れる。ぱりっとするまでからいりし、水3カップを加えて煮立ったら、弱火にしてアクを除き、5分煮て、煮干しを取り出す。

3 2の鍋に1を加え、再び煮立ったらアクを除き、ふたをして10〜15分煮る。Aで調味し、器に盛って、粗びき唐辛子をふる。

memo

豚肉から作られるベーコンはビタミンB₁が豊富。コチュジャンに含まれる唐辛子のカプサイシンとともに、エネルギーの代謝に効果を発揮してくれます。白菜はビタミンC、カリウムが多く、スープのように煮て食べれば、かさが減ってたくさん摂れるのがメリット

ベーコンと水菜のスープ

●材料

ベーコン	3枚
水菜	1束
長ねぎ	1/2本
だし汁	3カップ
A＜みりん…小さじ1／しょうゆ…小さじ1／塩…小さじ1/2＞	
粗びき黒こしょう	少々

●作り方

1 水菜は3cm長さに切り、ねぎは3〜4cm長さのせん切りにする。ベーコンは横に細切りにする。

2 鍋に、だし汁を入れて煮立て、ベーコンとAを加える。再び煮立ったら弱めの中火にしてアクを除き、1〜2分煮る。

3 ねぎの1/2量と水菜を加え、さっと煮て器に盛り、残りのねぎをのせて、こしょうをふる。

memo

水菜に多く含まれるのは、カロテンやビタミンC。カロテンは体内でビタミンAに変わり、抗酸化作用によって、老化やがんの抑制に効果があるほか、視力の低下を防ぐなど、目の健康にも役立ちます。脂溶性なので、ベーコンの脂と合わせて摂ると吸収力がアップ

ベーコンとブロッコリーの
スープカレー

●材料

ベーコン	3枚
卵	2個
ブロッコリー	½個
玉ねぎ	½個
ホールトマト缶	¼缶（100g）
にんにく	½かけ
しょうが	½かけ
バター	10g
固形スープの素	1個
市販のカレールー	30g

●作り方

1 ブロッコリーは小房に分け、玉ねぎは薄切りにする。トマトはつぶし、にんにく、しょうがはすりおろす。ベーコンは横に細切りにする。

2 鍋にバターを溶かしてベーコンを炒め、油がまわったら玉ねぎを加えて炒め合わせる。玉ねぎがしんなりしたら、トマトと缶汁、にんにく、しょうがを加え、水3カップを注ぎ、スープの素をくずし入れる。

3 煮立ったら弱火にしてアクを除き、7〜8分煮て、ブロッコリーを加え、ひと煮する。いったん火を止め、カレールーを加えて溶かし、再び火にかけて煮立ったら、卵を1個ずつ割り入れて2〜3分煮る。

市販のカレールーを少なめに加えて、さらりとしたスープカレーに仕上げる

memo

ブロッコリーのビタミンCにベーコンのたんぱく質、ブロッコリーのカロテンにベーコンの脂質、ベーコンのビタミンB₁に玉ねぎの硫化アリルは、それぞれ吸収力を高める食べ合わせ。また、卵をプラスすることで、全体の栄養価がさらに上がります

ソーセージと大豆のスープ

作り方は54ページ

Sausage
Vege
table

ソーセージとキャベツのチーズスープ

作り方は55ページ

ソーセージと大豆のスープ

●材料

ウィンナソーセージ	4本
セロリ	½本
玉ねぎ	½個
大豆の水煮	150g
パセリ	適量
サラダ油	大さじ½
固形スープの素	1個
A<トマトケチャップ…大さじ2／ウスターソース…大さじ½>	
塩、こしょう	各少々

●作り方

1 セロリと玉ねぎは1cm角に切り、ソーセージは横に1cm幅に切る。

2 鍋に油を熱してセロリと玉ねぎを炒め、しんなりしたらソーセージと大豆を加える。油がまわるまで炒め合わせて、水3カップを注ぎ、スープの素をくずし入れる。

3 煮立ったら弱火にしてアクを除き、10〜15分煮て、Aで調味する。さらに5〜10分煮て、塩、こしょうで味をととのえ、器に盛って、みじん切りにしたパセリを散らす。

トマトケチャップとウスターソースを加えるだけで手軽。ご飯がすすむ味つけに

memo

大豆にはビタミン、ミネラルが豊富なのはもちろん、イソフラボンやサポニンも含まれます。イソフラボンは女性ホルモンに似た働きから、ホルモンが関連して起こりやすくなる骨粗しょう症や乳がんの予防、更年期障害の緩和に役立ち、サポニンは動脈硬化、肥満などを防ぐ効果が期待できるサポニンも含まれます

ソーセージとキャベツの
チーズスープ

●材料

ウィンナソーセージ	4本
ピザ用チーズ	80g
キャベツ	¼個
玉ねぎ	½個
バター	10g
固形スープの素	1個
塩、こしょう	各少々
粗びき黒こしょう	少々

●作り方

1 キャベツはざく切りにし、玉ねぎは薄切りにする。ソーセージは斜めに浅い切り目を細かく入れる。

2 鍋にバターを溶かして玉ねぎとキャベツを炒め、しんなりしはじめたらソーセージを加える。水3カップを注いで、スープの素をくずし入れ、煮立ったら弱火にしてアクを除き、ふたをして5分煮る。

3 塩、こしょうで調味して、チーズを加え、ふたをして、さらに5分煮る。チーズが溶けたら器に盛り、粗びき黒こしょうをふる。

鍋いっぱいのキャベツを炒めるうちに、かさが減ってきたら、そこでソーセージを加える

---
memo

キャベツには、ビタミンCや食物繊維のほか、胃かいようの予防や、胃腸の不調を改善するビタミンU、骨の形成にも欠かせないビタミンKなどが含まれ、チーズには、骨の成分であるカルシウムも豊富。チーズのカルシウムは吸収されやすいのが特徴です

Part2
野菜のパワーで元気スープ

野菜には、元気のもとになる注目のヘルシー効果がいっぱい。
食べて効く野菜のパワーを積極的に取り入れた、
コンディションアップのスープレシピを、野菜の色別に紹介します。

赤い野菜で

トマトやカラーピーマン、にんじんに含まれるカロチノイド系の色素には、老化や生活習慣病、がんなどを抑制する抗酸化作用があり、油と一緒に摂ると吸収されやすくなります。

トマトと牛肉のみそスープ

作り方は58ページ

カラーピーマンとあさりのスープ
作り方は59ページ

にんじんの沢煮椀風
作り方は59ページ

トマトと牛肉のみそスープ

●材料

牛切り落とし肉	150ｇ
トマト	3個
長ねぎ	½本
A＜おろしにんにく…少々／塩、こしょう…各少々＞	
オリーブ油	大さじ1
だし汁	3カップ
みそ	大さじ2〜3

●作り方

1 トマトは皮をむき、ひと口大に切る。ねぎは斜め薄切りにする。牛肉はAをもみ込む。

2 鍋にオリーブ油を熱して牛肉を炒め、色が変わったらトマトとねぎを加えて、しんなりするまで炒め合わせ、だし汁を加える。

3 煮立ったら弱火にしてアクを除き、5〜6分煮て、みそを溶き入れ、煮立てないように火を止める。

はじめに材料を炒める。油を使って調理することで、トマトに含まれるカロチノイド系色素の一種、リコピンの吸収率もアップする

カラーピーマンとあさりのスープ

●材料

あさり（砂抜きしたもの）………300g
カラーピーマン（赤）……………1個
レタス……………………………1/4個
A＜だし昆布…5×5cm／酒…大さじ2＞
B＜塩…小さじ1/3／こしょう…少々＞

●作り方

1 カラーピーマンはひと口大に切り、レタスはざく切りにする。

2 鍋に、あさり、A、水3カップを入れて煮立てたら、昆布を取り除き、弱めの中火にしてアクを除く。

3 カラーピーマンを加え、1〜2分煮てBで調味し、レタスを加えてひと煮する。

にんじんの沢煮椀風

●材料

豚バラ薄切り肉……………………100g
うずらの卵の水煮…………………6個
にんじん……………………………1/2本
ごぼう………………………………1/3本
三つ葉の茎…………………………1/4束分
だし汁………………………………3カップ
A＜酒…大さじ1／しょうゆ…小さじ1／塩…小さじ2/3＞
B＜片栗粉…小さじ2／だし汁…大さじ11/3＞
粗びき黒こしょう…………………少々

●作り方

1 にんじんは3〜4cm長さのせん切りにする。ごぼうも同様に切り、使うまで水にさらす。三つ葉の茎は3〜4cm長さに切り、豚肉は横に細切りにする。

2 鍋に、だし汁を入れて煮立て、豚肉をほぐし入れて、にんじん、ごぼうを加える。再び煮立ったら弱火にしてアクを除き、4〜5分煮て、うずらの卵と三つ葉の茎を加える。

3 Aで調味し、Bを混ぜ合わせてから加え、とろみをつける。器に盛って、こしょうをふる。

緑の野菜で

緑黄色野菜には、美容のビタミンともいわれるA、C、Eが豊富。しかも、ここにあげた、にら、モロヘイヤ、小松菜は、不足しがちなカルシウムもたっぷりのスーパー緑黄色野菜です。

にらともやしの卵スープ
作り方は62ページ

モロヘイヤとひき肉のスープ
作り方は63ページ

小松菜と豆腐のスープ
作り方は63ページ

にらともやしの卵スープ

●材料

ロースハム	4枚
卵	1個
にら	1束
もやし	150g
ごま油	大さじ½
鶏ガラスープの素	小さじ1

A＜塩…小さじ½／こしょう…少々＞

●作り方

1 にらは3〜4cm長さに切り、ハムは細切りにする。卵は溶きほぐす。

2 鍋に、ごま油を熱し、ハム、にら、もやしをさっと炒めて、水2½カップを注ぎ、スープの素を加える。

3 煮立ったら弱めの中火にしてアクを除き、Aで調味して、溶き卵をまわし入れ、ひと煮立ちさせる。

溶き卵は、箸を伝わらせて細く糸をたらすようにしながらまわし入れるとよい

モロヘイヤとひき肉のスープ

●材料

鶏ひき肉	150g
モロヘイヤ	1束
玉ねぎ	½個
にんにく	½かけ
しょうが	½かけ
サラダ油	大さじ½
鶏ガラスープの素	小さじ1
A＜しょうゆ…小さじ½／塩…小さじ⅓／こしょう…少々＞	

●作り方

1 モロヘイヤは葉を摘み、粗く刻む。玉ねぎ、にんにく、しょうがはみじん切りにする。

2 鍋に油を熱し、にんにく、しょうがを香りが出るまで炒めて、玉ねぎを加える。しんなりするまで炒めたら、ひき肉を加え、ぽろぽろになるまでほぐし炒める。

3 水2½カップとスープの素を加え、煮立ったら弱火にし、アクを除く。10分煮て、Aで調味し、モロヘイヤを加えて、ひと煮立ちさせる。

モロヘイヤの茎はかたいので、葉だけを摘んで使う

小松菜と豆腐のスープ

●材料

絹ごし豆腐	½丁
桜えび	20g
小松菜	½わ
ザーサイ（瓶詰め）	50g
にんにく	1かけ
ごま油	小さじ2
鶏ガラスープの素	小さじ1
塩	少々

●作り方

1 豆腐はペーパータオルにのせ、10分おいて水きりをし、横に1.5cm幅に切る。小松菜は3〜4cm長さに切り、にんにくは薄切りにする。

2 鍋に、ごま油を熱して、にんにくを炒め、香りが出たら小松菜を加え、しんなりするまで炒めて、桜えびとザーサイを加える。

3 水2½カップとスープの素を加え、煮立ったら弱めの中火にしてアクを除き、豆腐を加え、5〜6分煮て塩で調味する。

黄色い野菜で

食物繊維を多く含むかぼちゃや、さつまいもは、おなかの調子をととのえるのに効果的。ビタミンCも多く、でんぷん質に守られているため、加熱による損失が少ないのが特徴です。

かぼちゃのココナッツカレースープ

作り方は66ページ

かぼちゃのキムチスープ
作り方は67ページ

さつまいもとひき肉のスープ
作り方は67ページ

かぼちゃの
ココナッツカレースープ

●材料

鶏むね肉........................1枚
かぼちゃ........................1/6個
玉ねぎ..........................1/2個
赤唐辛子........................1本
ココナッツミルク.............1 1/2カップ
サラダ油........................大さじ1/2
カレー粉........................小さじ2
鶏ガラスープの素.............小さじ1
ナンプラー.....................小さじ2

●作り方

1
かぼちゃはひと口大に切り、玉ねぎは1
cm幅のくし形に切る。赤唐辛子は半分
にちぎって種を除き、鶏肉はひと口大
にそぎ切りにする。

2
鍋に油を熱して赤唐辛子をさっと炒め、
鶏肉、かぼちゃ、玉ねぎを加える。油
がまわるまで炒め合わせたら、カレー
粉を加え、香りが出るまで炒める。

3
水1カップとスープの素を加え、煮立っ
たら弱めの中火にし、アクを除いて10
分煮る。ココナッツミルクを加え、さ
らに5〜6分煮てナンプラーで調味する。

ココナッツミルクはココヤ
シの実からとれる白いジュ
ース。まろやかで、ほのか
な甘みがある

かぼちゃのキムチスープ

●材料

豚バラ薄切り肉	100g
かぼちゃ	1/6個
ズッキーニ	1本
白菜キムチ	150g
煮干し	20g
A＜おろしにんにく…1/2かけ分／酒…小さじ1／しょうゆ…小さじ1＞	
ごま油	大さじ1/2
B＜コチュジャン…大さじ2／みりん…大さじ1／しょうゆ…小さじ1＞	

●作り方

1 かぼちゃはひと口大に切り、ズッキーニは1cm厚さの輪切りにする。キムチはざく切りにする。豚肉は2～3cm長さに切り、Aをもみ込む。

2 煮干しは頭を除いて縦半分に裂き、腹わたも除く。鍋に入れ、ぱりっとするまでからいりし、水3カップを加えて煮立ったら、弱火にしてアクを除き、5分煮てこす。

3 鍋に、ごま油を熱して豚肉を炒め、色が変わったら、キムチ、かぼちゃ、ズッキーニの順に加えながら、油がまわるまで炒め合わせて、2のだし汁を加える。煮立ったら弱めの中火にしてアクを除き、7～8分煮てBで調味する。

さつまいもとひき肉のスープ

●材料

鶏ひき肉	150g
さつまいも	1本
さやいんげん	100g
玉ねぎ	1/2個
バター	15g
固形スープの素	1個
しょうゆ	大さじ1/2

●作り方

1 さつまいもは、ひと口大の乱切りにし、使うまで水にさらす。いんげんは長さを3つに切り、玉ねぎは薄切りにする。

2 鍋にバターを溶かし、さつまいも、玉ねぎ、ひき肉の順に加えながら炒め合わせ、ひき肉がぽろぽろになったら、水3カップを注ぎ、スープの素をくずし入れる。

3 煮立ったら弱火にしてアクを除き、さつまいもに火が通るまで10～15分煮て、いんげんを加える。さらに2～3分煮て、しょうゆで調味する。

まず、バターでさつまいもを炒める。油の膜でおおわれて色よく仕上がる

白い野菜で

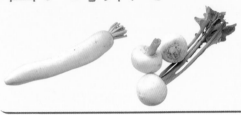

大根やかぶには、消化を助ける分解酵素のアミラーゼや、むくみに効くカリウムなども含まれています。また、大根のシニグリンという辛み成分のもとは胃の活動を促し、食欲不振の改善にも。

大根とハムの中華風スープ
作り方は70ページ

かぶと鶏肉のミルクスープ
作り方は71ページ

みぞれスープ
作り方は71ページ

大根とハムの中華風スープ

●材料

ロースハム	2枚
帆立水煮缶	小1缶(70g)
大根	1/4本
ごま油	大さじ1/2
鶏ガラスープの素	小さじ1/2
酒	大さじ1
A<砂糖…小さじ1/2／塩…小さじ1/2>	
水溶き片栗粉(片栗粉小さじ2+水大さじ1 1/3)	

●作り方

1 大根は1.5cm角に切り、ハムは1.5cm四方に切る。帆立缶の缶汁は水と合わせて2 1/2カップにする。

2 鍋に、ごま油を熱して大根を油がまわるまで炒め、1の缶汁と水を合わせたものと、スープの素、酒を加える。煮立ったら弱めの中火にしてアクを除き、ふたをして10〜15分煮る。

3 ハムと帆立、Aを加え、さらに5分煮て、水溶き片栗粉を加え、とろみをつける。

大根を炒めておくと、煮えるのも早い

かぶと鶏肉のミルクスープ

●材料

鶏むね肉	1枚
かぶ	4個
長ねぎ	½本
牛乳	1カップ
A＜塩…小さじ½／こしょう…少々＞	
サラダ油	大さじ½
固形スープの素	1個
塩	少々

●作り方

1 かぶは茎を切って、実を縦6等分にし、茎は1cm長さに切る。ねぎは1cm長さに切る。鶏肉はひと口大に切り、Aをふる。

2 鍋に油を熱し、鶏肉を炒めて、うすく焼き色をつけ、かぶの実とねぎを加える。油がまわるまで炒め合わせて、水1½カップを加え、スープの素をくずし入れる。

3 煮立ったら弱めの中火にしてアクを除き、10〜15分煮て、かぶの茎と牛乳を加え、ひと煮立ちさせて塩で調味する。

みぞれスープ

●材料

生だらの切り身	2切れ
もめん豆腐	½丁
大根	¼本
三つ葉	1束
A＜酒…大さじ½／塩…小さじ⅓＞	
だし汁	2カップ
B＜みりん…小さじ1／しょうゆ…小さじ1／塩…小さじ1＞	

●作り方

1 たらはAをふりかけて10分おき、汁をきって大きめのひと口大に切る。豆腐は3cm角に切る。大根はすりおろし、軽く汁をきる。

2 鍋に、だし汁を入れて煮立て、たらを加える。再び煮立ったら弱めの中火にしてアクを除き、5〜6分煮て、豆腐を加える。

3 豆腐が温まったらBで調味し、大根おろしを加えてひと煮立ちさせ、器に盛って、ざく切りにした三つ葉をのせる。

大根おろしは最後に加える。大根に含まれるアミラーゼは熱に弱いので、消化力を高めるにはさっと煮る程度で

黒い海藻で

わかめ、もずく、ひじきなどの海藻類は、鉄をはじめ、ミネラルの宝庫。フコイダン、アルギン酸といった食物繊維の一種も豊富で、余分なコレステロールを排出する作用もあります。

わかめと牛肉のにんにくスープ

作り方は74ページ

もずくと温泉卵のスープ
作り方は75ページ

ひじきとくずし豆腐のスープ
作り方は75ページ

わかめと牛肉のにんにくスープ

●材料

牛切り落とし肉 ……………………… 150g
塩蔵わかめ ……………………………… 30g
万能ねぎ ……………………………… 適量
赤唐辛子 ………………………………… 1本
白いりごま ……………………………… 少々
A＜長ねぎのみじん切り…½本分／お
　ろしにんにく…1かけ分／白すりご
　ま…大さじ1／しょうゆ…大さじ
　1½／ごま油…大さじ1／こしょう
　…少々＞
B＜しょうゆ…小さじ1／塩、こしょう
　…各少々＞

●作り方

1　わかめは塩を洗い流してから水に5分つけてもどし、水けを絞って食べやすく切る。牛肉はひと口大に切り、わかめと合わせて鍋に入れ、Aを加えてもみ込む。

2　1の鍋を火にかけ、肉の色が変わるまで炒めて、水2½カップを加え、煮立ったら弱めの中火にしてアクを除く。

3　3～4分煮てBで調味し、器に盛って、小口切りにした万能ねぎと赤唐辛子を散らし、ごまをふる。

鍋に入れた牛肉とわかめに、香味野菜やごま油なども加えてもみ込んでから、そのまま炒める

もずくと温泉卵のスープ

●材料

鶏ささみ	4本
温泉卵	2個
もずく	150g
玉ねぎ	½個
A＜しょうが汁…小さじ1／酒…小さじ1／塩…小さじ⅕＞	
片栗粉	小さじ1
鶏ガラスープの素	小さじ1
B＜酒…大さじ1／ラー油…小さじ½／塩…小さじ½／こしょう…少々＞	

●作り方

1 もずくは洗い、ペーパータオルを敷いたざるに上げて水をきる。玉ねぎは薄切りにする。ささみは3㎝長さの細切りにし、Aをもみ込んで、片栗粉をまぶす。

2 鍋に水2½カップと玉ねぎ、スープの素を入れて煮立て、1のささみをほぐし入れる。再び煮立ったら弱めの中火にしてアクを除き、2～3分煮る。

3 もずくを加えてBで調味し、器に盛って、温泉卵を割り入れる。

ひじきとくずし豆腐のスープ

●材料

さつま揚げ	2枚
もめん豆腐	⅓丁
乾燥ひじき	10g
こんにゃく	⅓枚
しょうが	適量
だし汁	3カップ
A＜酒…大さじ1／しょうゆ…大さじ1／塩…小さじ⅓＞	
B＜片栗粉…小さじ2／だし汁…大さじ1⅓＞	

●作り方

1 ひじきは水に15分つけてもどし、水をきる。こんにゃくはスプーンでひと口大にちぎり、熱湯で2～3分下ゆでする。さつま揚げは4つに切る。

2 鍋に、さつま揚げ、こんにゃく、だし汁を入れて煮立てたら、弱めの中火にしてアクを除き、5分煮て、ひじきを加え、豆腐を粗くくずし入れる。

3 さらに5分煮てAで調味し、Bを混ぜ合わせてから加え、とろみをつける。器に盛り、すりおろしたしょうがをのせる。

Part3
二度おいしい、
かたまり肉のスープ

かたまり肉を、ほろりとくずれる程に、
やわらかく煮込んだスープの味わいも、また格別。
せっかくだから多めに作り、残ったら、
ほかの料理にアレンジすれば、二度楽しめます。
その日の気分で選べるように、
アレンジアイディアをふたつずつのせました。

豚もも肉と
キャベツのスープ
作り方は78ページ

76

カレー
作り方は79ページ

残ったスープでアレンジ

ミートソーススパゲッティ
作り方は79ページ

豚もも肉とキャベツのスープ

豚肉から煮はじめる。具に使う野菜の皮と葉も加えて風味よく

●材料（4人分）

豚ももかたまり肉	400g
にんじん	2本
セロリ	2本
キャベツ	1/2個
ローリエ	1枚
白ワイン	1/2カップ
固形スープの素	1個
A＜塩…小さじ1/2／こしょう…少々＞	

●作り方

1
豚肉は熱湯でさっと下ゆでする。にんじんの皮をむいてとっておき、セロリは葉の部分をざく切りにする。以上を大きな鍋に入れて、ローリエ、ワインと、水2ℓを加え、スープの素をくずし入れて煮立てたら、弱めの中火にしてアクを除き、ふたをして1時間煮る。

2
キャベツは縦4等分にし、にんじんは長さを半分にして縦に2〜4等分に切る。セロリはにんじんと同じくらいの長さに切る。

3
1の鍋から、にんじんの皮とセロリの葉を取り除き、2を加えてふたをし、さらに30分煮て、Aで調味する。豚肉は食べやすく切り分け、野菜、汁と器に盛り、好みで粒マスタードを添えても。

― memo ―
豚肉にはビタミンB₁が、キャベツにはビタミンCが多く、にんじんはカロテンの宝庫。セロリにはカリウムなどのミネラルが多く、全体にバランスよしの組み合わせです

残ったスープでアレンジ

カレールーをプラスして
カレー

●材料

豚もも肉とキャベツのスープの残り
　＜豚もも肉、にんじん、セロリ、キ
　　ャベツ…各½量／汁…3カップ＞
ホールトマト缶　　　　　¼缶（100g）
にんにく　　　　　　　　　　　½かけ
しょうが　　　　　　　　　　　½かけ
ご飯　　　　　　　　　　　　　2皿分
市販のカレールー　　　　　　　　70g

●作り方

1 スープの残りの豚肉、にんじん、セロリ、キャベツは食べやすく切って鍋に入れ、汁は足りなければ水を加えて3カップにし、加える。トマトはつぶして缶汁ごと入れ、にんにく、しょうがはすりおろして加える。

2 1を煮立てたら、弱めの中火で5分煮て、いったん火を止め、カレールーを加えて溶かす。さらに弱火で7〜8分煮て、皿に盛ったご飯にかける。

ホールトマトも合わせて、ルーを加え、野菜の甘みたっぷりのカレーに

フードプロセッサーにかけて
ミートソーススパゲッティ

●材料

豚もも肉とキャベツのスープの残り
　＜豚もも肉、にんじん、セロリ…各
　　½量／汁…1カップ＞
玉ねぎ　　　　　　　　　　　　½個
しょうが　　　　　　　　　　　½かけ
にんにく　　　　　　　　　　　½かけ
粉チーズ　　　　　　　　　　　適量
パセリ　　　　　　　　　　　　適量
スパゲッティ　　　　　　　　　160g
オリーブ油　　　　　　　　　大さじ2
A＜トマトケチャップ…大さじ4／しょ
　うゆ…大さじ½／塩…小さじ½／
　こしょう…少々＞
塩　　　　　　　　　　　　　　適量

●作り方

1 スープの残りの豚肉は大きめのひと口大に切り、にんじん、セロリとフードプロセッサーの容器に入れる。玉ねぎは3つくらいに切り、しょうがは薄切りにして加え、にんにくも入れて30秒攪拌する。

2 フライパンにオリーブ油を熱して1を炒め、油がまわったらスープの残りの汁とAを加え、弱火で15分煮詰める。

3 スパゲッティは塩を加えたたっぷりの熱湯で、袋の表示通りにゆでて皿に盛り、2をかけて、粉チーズと、みじん切りにしたパセリをふる。

スープの具のほか、玉ねぎなども加えるとミートソースらしい味わいに。合わせてフードプロセッサーにかける

牛すね肉と大根のスープ

作り方は82ページ

Arrange
Soup

豆腐チゲ
作り方は83ページ

残ったスープでアレンジ

スープ春雨
作り方は83ページ

牛すね肉と大根のスープ

●材料（4人分）

牛すね肉（シチュー用）	400g
大根	½本
長ねぎの青い部分	1本分
春菊	¼束
にんにく	2かけ
しょうがの皮	1かけ分
だし昆布	10×5cm

A＜塩…小さじ1／こしょう…少々＞

筋っぽいすね肉は、先にじっくりゆでる。くさみ
消しに、香りの強いしょうがの皮や、ねぎの青い
部分も加えて

●作り方

1 大きな鍋に2.4ℓの湯を沸かし、すね肉、にんにく、しょうがの皮を入れ、ねぎの青い部分は仕上げ用に⅓量くらいを取り分けて、残りを加える。昆布も加え、再び沸いたら、弱めの中火にしてアクを除き、ふたをして1時間30分ゆでる。

2 大根は2cm厚さの半月切りにし、**1**の鍋から、ねぎの青い部分、にんにく、しょうがの皮、昆布を取り除いて、大根を加える。再び沸いたらアクを除いて30分煮る。

3 仕上げ用のねぎの青い部分は斜め薄切りにし、春菊は葉を摘んでおく。**2**の鍋にAを加えて調味し、火を止めて、仕上げ用のねぎと春菊を加える。

memo
牛すじ肉には、肌の潤いに欠かせないコラーゲンが多く、たっぷり加えた春菊とねぎの香り成分には、胃の調子を整える効果が。また、春菊にはカロテンも豊富です

残ったスープでアレンジ

豆腐と辛みをプラスして

豆腐チゲ

●材料

牛すね肉と大根のスープの残り＜牛す
　ね肉、大根…各½量／汁…3カップ＞
あさり（砂抜きしたもの）　　　　200g
もめん豆腐　　　　　　　　　　　½丁
万能ねぎ　　　　　　　　　　　　適量
みそ　　　　　　　　　　　　大さじ1½
A＜コチュジャン…大さじ1〜2／酒…
　大さじ1＞

●作り方

1
鍋に、スープの残りのすね肉、大根、
汁と、あさりを合わせる。汁が3カップ
に足りない場合は、水を加える。

2
1を煮立てて、みそを溶き入れ、Aを加
える。続けて豆腐をひと口大にちぎっ
て加え、再び煮立ったら、ざく切りに
した万能ねぎを加えて火を止める。

コチュジャンで調味して韓国風

春雨を加えて

スープ春雨

●材料

牛すね肉と大根のスープの残り＜牛す
　ね肉、大根…各½量／汁…3カップ＞
長ねぎ　　　　　　　　　　　　　⅓本
春雨　　　　　　　　　　　　　　40g
A＜おろしにんにく…少々／しょうゆ
　…大さじ1／ごま油…小さじ1／こ
　しょう…少々＞

●作り方

1
ねぎは斜め薄切りにし、鍋に、スープ
の残りのすね肉、大根、汁と、ねぎを
合わせる。汁が3カップに足りない場合
は、水を加える。

2
春雨はキッチンバサミで食べやすく切
って加え、火にかける。春雨がやわら
かくなるまで煮て、Aで調味し、器に
盛って、好みで粗びき唐辛子をふっても。

春雨はもどさずに加えてOK。
煮ながらもどす

豚肩ロース肉とじゃがいもの
タレがけスープ
作り方は86ページ

Arrange
Soup

肉じゃが
作り方は87ページ

残ったスープでアレンジ

ボリュームサラダとシンプルスープ
作り方は87ページ

豚肩ロース肉と
じゃがいもの
タレがけスープ

豚肉を香味野菜と一緒に水からゆでる

●材料（4人分）

豚肩ロースかたまり肉……………400g
じゃがいも……………………………4個
かぶ……………………………………4個
長ねぎの青い部分…………………1本分
しょうがの皮………………………1かけ分
塩、こしょう…………………………各少々
A＜長ねぎのみじん切り…10cm分／おろ
　しにんにく…½かけ分／白すりごま…
　大さじ1／しょうゆ…大さじ3／酢…大
　さじ1／ごま油…大さじ1／豆板醤…小
　さじ½＞

●作り方

1
豚肉は熱湯でさっと下ゆでし、ねぎの
青い部分、しょうがの皮、水2ℓと大き
な鍋に入れて火にかける。沸とうした
ら弱めの中火にしてアクを除き、ふた
をして1時間ゆでる。

2
じゃがいもは皮をむいてから洗う。1の
鍋から、ねぎの青い部分と、しょうが
の皮を取り除き、じゃがいもを加え、
ふたをして10〜15分ゆでる。かぶを加
えて再びふたをし、野菜に火が通るま
でさらに約10分ゆでて、塩、こしょう
で調味する。

3
豚肉は食べやすく切り分け、野菜、汁
と器に盛る。Aはよく混ぜ合わせてタレ
を作り、かけて食べる。

食べるときに、しょうゆベースの中華風のタレを
かけて

memo
じゃがいもにはビタミンCだけでなく、高
血圧の予防効果があるカリウムが多いのも
特徴。また、ほかの根菜類同様、食物繊維
も多く含まれています

残ったスープでアレンジ

しょうゆ味で煮からめて
肉じゃが

●材料

豚肩ロース肉とじゃがいものタレがけスープの残り<豚肩ロース肉、じゃがいも、かぶ…各½量／汁…½カップ>

絹さや ……………………………… 8枚
塩 ……………………………………… 少々
A<酒…大さじ1／砂糖…大さじ1／しょうゆ…大さじ1>

●作り方

1 絹さやは塩を加えた熱湯でゆでる。スープの残りの豚肉、じゃがいも、かぶは大きめのひと口大に切り、汁とフライパンに入れる。

2 1のフライパンにAを加えて煮立て、煮詰めながらからめて器に盛り、絹さやをのせる。

フライパンで汁けをとばしながら手早く煮からめる

具と汁に分けて
ボリュームサラダとシンプルスープ

●材料

豚肩ロース肉とじゃがいものタレがけスープの残り<豚肩ロース肉、じゃがいも、かぶ…各½量／汁…2½カップ>

にんじん ………………………… ½本
玉ねぎ …………………………… ½個
レモン汁 ………………………… 大さじ1
A<白すりごま…大さじ1／マヨネーズ…大さじ4／しょうゆ…小さじ1／塩、こしょう…各少々>
B<塩…小さじ1／こしょう…少々>
粗びき黒こしょう ……………… 少々

●作り方

1 スープの残りの豚肉、じゃがいも、かぶはひと口大に切る。汁は足りなければ水を加えて2½カップにする。

2 サラダを作る。1の豚肉、じゃがいも、かぶを合わせてレモン汁をかけ、Aであえる。

3 スープを作る。にんじんは長さを半分にしてせん切りにし、玉ねぎは薄切りにして、1の汁と鍋に入れ、煮立てる。弱めの中火で5分煮てBで調味し、器に盛って、こしょうをふる。

スープの具をマヨネーズであえてサラダに。ごまとしょうゆも加えた和風テイストで

具を除いた汁には、にんじんと玉ねぎをプラスして、ひと味違うスープにリメイク

Part4
スープごはん

ご飯を入れたり、ご飯にかけたり。スープとご飯が一緒になった、
リゾットやお茶漬け感覚の"スープごはん"も魅力的。
手近な材料でささっと作れるうれしいレシピです。

Rice
in
Soup

リゾット風スープごはん

作り方は90ページ

サラダスープごはん
作り方は91ページ

オニオングラタンスープごはん
作り方は91ページ

リゾット風スープごはん

●材料

さわらの切り身	2切れ
グリーンアスパラガス	5本
ミニトマト	10個
にんにく	1かけ
あればケイパー	大さじ2
ご飯	300g

A＜塩…小さじ½／こしょう…少々＞
オリーブ油　　　　　　　　　大さじ2
B＜しょうゆ…小さじ2／塩…小さじ
　　½＞

●作り方

1　アスパラガスは根元のほうのかたい部分を薄くむき、長さを2〜3つに切る。ミニトマトはへたを除き、にんにくはみじん切りにする。さわらはAをふる。

2　フライパンにオリーブ油と、にんにくを入れ、香りが出るまで弱火で熱し、さわらを加えて両面を中火で焼きつける。

3　アスパラガス、ミニトマト、ケイパーを加えて、水2カップを注ぎ、強火で煮立てる。4〜5分煮てBで調味し、ご飯を加えて、ひと煮する。

ご飯は粘りが出ないように最後に加えて、ひと煮するだけ

memo

さわらには、血栓を溶かすなどして血液をサラサラにするEPA、DHAが多く含まれ、野菜に多いと思われがちなカリウムも豊富です

サラダスープごはん

●材料

ツナ缶	1缶(175g)
卵	2個
クレソン	½束
カラーピーマン(赤)	1個
サラダ菜	4枚
ご飯	200〜300g
だし汁	2½カップ
A<みりん…小さじ2／しょうゆ…小さじ1／塩…小さじ1>	

●作り方

1 クレソンは食べやすい長さに切り、カラーピーマンは3cm長さに縦に細切りにする。サラダ菜はひと口大にちぎり、ツナは油をきる。

2 鍋に、だし汁を入れて煮立てたら、カラーピーマンとツナを加え、1分煮てAで調味し、卵を1個ずつ割り入れる。

3 卵が半熟状になるまで1〜2分煮て、クレソンとサラダ菜を加え、さっと煮て、器に盛ったご飯にかける。

サラダ野菜のクレソンとサラダ菜は最後に加え、汁にひたす程度ですぐに火を止める

― memo ―
ツナと卵は良質のたんぱく質源。卵にはその他の栄養素もバランスよく含まれますが、ビタミンCと食物繊維は含まれず、野菜と一緒に摂ることで不足している栄養が補えます

オニオングラタンスープごはん

●材料

豚ロース薄切り肉	150g
玉ねぎ	1個
しめじ	1パック
粉チーズ	大さじ2〜3
ご飯	200〜300g
塩	適量
こしょう	少々
サラダ油	小さじ2
バター	10g
固形スープの素	1個
A<塩…小さじ⅓／こしょう…少々>	

●作り方

1 玉ねぎは縦半分にして薄切りにし、耐熱皿に入れて、ラップをかけずに電子レンジで5分加熱する。しめじは小房に分ける。豚肉は、ひと口大に切り、塩少々と、こしょうをふる。

2 鍋に油を熱し、豚肉を色よく焼きつけて、いったん取り出す。続けて鍋にバターを入れて溶かし、玉ねぎを入れ、塩少々をふって、うすく色づくまでよく炒め、しめじを加えてさっと炒め合わせる。

3 水2½カップを加えて、スープの素をくずし入れ、煮立ったらAで調味する。ご飯を加えて、豚肉を戻し入れ、ひと煮して器に盛り、粉チーズをふる。

玉ねぎは、ラップをかけずにレンジにかけて水分をとばしてから炒めると、早く色づく

― memo ―
ビタミンB₁が豊富な豚肉と、ビタミンB₁の吸収率を高める硫化アリルを含む玉ねぎは、代謝アップによい組み合わせ。しめじは、抗がん作用で注目されているグルカンを含みます

Rice in Soup

豆いろいろのスープごはん
作り方は94ページ

クリームスープごはん
作り方は94ページ

ひき肉とトマトの
スパイシースープごはん
作り方は95ページ

焼きおにぎりのスープがけ
作り方は95ページ

豆いろいろのスープごはん

●材料

ウィンナソーセージ	4本
そら豆（さやから出したもの）	50～60g
絹さや	20～30g
冷凍グリーンピース	½カップ
豆もやし	½袋
ご飯	200～300g
だし汁	3カップ
A＜塩…小さじ1強／こしょう…少々＞	
オリーブ油	小さじ2

●作り方

1 そら豆は熱湯でゆでて薄皮をむく。ソーセージは斜めに2～3つに切る。

2 鍋に**1**と絹さや、グリーンピース、もやし、だし汁を入れて煮立て、弱めの中火にしてアクを除き、5分煮て**A**で調味する。

3 ご飯を器に盛って、**2**をかけ、オリーブ油をまわしかける。

> — memo —
> そら豆、グリーンピースにはビタミンB₁、B₂も多く含まれ、新陳代謝の促進に有効。絹さやには豊富なカロテンとビタミンCが、もやしには食物繊維も期待できます

クリームスープごはん

●材料

鶏もも肉	1枚
ピザ用チーズ	80g
ブロッコリー	½個
じゃがいも	1個
ご飯	200～300g
牛乳	1カップ
ホワイトソース缶	1缶（290g）
塩、こしょう	各適量
バター	10g
白ワイン	大さじ2

●作り方

1 ブロッコリーは小房に分ける。じゃがいもは、ひと口大に切って洗う。鶏肉は、ひと口大に切り、塩、こしょう各少々をふる。

2 鍋にバターを溶かして鶏肉を色よく焼きつけ、ワインを加える。ひと煮立ちさせて、水1½カップと、じゃがいもを加え、煮立ったら弱火にしてアクを除き、10分煮る。

3 牛乳とホワイトソースを加えたら、5分煮てブロッコリーを加え、さらに2～3分煮て、塩、こしょう各少々で味をととのえる。最後に、ご飯を加えて、チーズをのせ、ふたをしてチーズが溶けるまで煮る。

牛乳とホワイトソースを加えてクリームスープに。ホワイトソースは手軽に市販品を利用して

> — memo —
> ブロッコリーとじゃがいもはビタミンCが多く、美肌作りや、かぜを予防するなど、免疫力を高めるのにも効果的。チーズと牛乳は、効率のよいカルシウム源でもあります

ひき肉とトマトの
スパイシースープごはん

●材料

牛ひき肉	150g
ピーマン	3個
トマト	2個
玉ねぎ	½個
にんにく	1かけ
しょうが	1かけ
赤唐辛子	1本
ご飯	200〜300g
サラダ油	大さじ½
カレー粉	小さじ2
固形スープの素	1個
A＜塩…小さじ½／こしょう…少々＞	

●作り方

1 ピーマンは5mm四方に切り、トマトは皮をむいてざく切りにする。玉ねぎ、にんにく、しょうがはみじん切りにし、赤唐辛子は半分にちぎって種を除く。

2 鍋に油を熱し、にんにく、しょうが、赤唐辛子を香りが出るまで炒めて、玉ねぎ、ひき肉を加える。ひき肉をほぐしながらぽろぽろになるまで炒めたら、カレー粉を加えて炒め合わせる。

3 さらにピーマン、トマトを加えてさっと炒め、水2½カップを注ぎ、スープの素をくずし入れる。煮立ったら弱めの中火にしてアクを除き、7〜8分煮てAで調味し、器に盛ったご飯にかける。

memo
牛肉には鉄も含まれ、トマトのビタミンCは鉄の吸収を促します。玉ねぎの硫化アリルや、唐辛子のカプサイシンは脂肪の燃焼を助け、冷え性の改善にも効果を発揮

焼きおにぎりのスープがけ

●材料

ベーコン	3枚
長ねぎ	1本
冷凍コーン	½カップ
ご飯	200〜300g
ごま油	小さじ2
サラダ油	小さじ2
固形スープの素	1個
A＜しょうゆ…小さじ2／こしょう…少々＞	

●作り方

1 ねぎは2〜3cm長さに切り、青い部分は仕上げ用に適量を斜め薄切りにする。ベーコンは横に2cm幅に切る。

2 ご飯は½量ずつにぎって、おにぎりにする。フライパンに、ごま油を熱して、おにぎりの表面に焼き色をつけ、器に盛る。

3 鍋にサラダ油を熱して、ねぎを焼き目がつくまで焼き、ベーコンを加えて油がまわるまで炒めたら、コーンを加え、水2½カップを注いで、スープの素をくずし入れる。煮立ったら弱めの中火にしてアクを除き、Aで調味して、2にかけ、ねぎの青い部分を添える。

ねぎに、しっかりと焼き目をつけて、こうばしく

memo
コーンに含まれる糖質は、有効なエネルギー源。この糖質の燃焼に必要なビタミンB1はベーコンに多く含まれ、ねぎの硫化アリルはビタミンB1の吸収を助けます

藤井 恵 (ふじい めぐみ)

雑誌やテレビで大活躍の人気料理家。気どりがなくシンプルでありながら、センスあふれるレシピは作りやすさにも定評がある。夫と2人のお嬢さんの4人家族で、東京郊外でのおしゃれな暮らしぶりが紹介されることも多い。女子栄養大学卒、管理栄養士でもある。近著は、『夕方、まだ明るいうちからビールをあけるしあわせ。―「おかず以上、おつまみ未満」のうちの人気メニュー82―』(主婦と生活社)、『ミニフライパンひとつで毎日使える園児のおべんとう』(講談社)など。

料理・藤井 恵　撮影・公文美和　スタイリング・曲田有子　ブックデザイン・松本真也十高橋里日(ドライブグラフィックス)　編集・菊田ゆき

おかずスープ　―具だくさんのスープと、白いご飯で大満足―

2005年11月10日　初版第1刷発行
2007年11月30日　　　　第8刷発行
著　者　藤井 恵
発行者　菅井康司
発行所　株式会社地球丸
　　　　〒105-0004　東京都港区新橋6-14-5
　　　　TEL 03-3432-7913(編集部)
　　　　TEL 03-3432-7901(営業部)
　　　　http://www.chikyumaru.co.jp/
印刷・製本　共同印刷株式会社

©Fujii Megumi,Chikyumaru.Printed in Japan.2005　ISBN978-4-86067-088-7　C2077
定価はカバーに表示してあります。
乱丁本、落丁本がございましたら、お取り替えいたします。
本書の内容の一部あるいは全部を無断でコピー、複製することは、
著作権法上での例外を除き、禁じられています。
許諾については、あらかじめ小社宛にご連絡ください。